HUNLLEF
O
ANRHEG

Cyhoeddwyd gyntaf yn 2019 gan
Wasg Gomer, Llandysul, Ceredigion, SA44 4JL
www.gomer.co.uk

ISBN: 978 1 78562 316 5

Cyhoeddwyd gyda chymorth ariannol Cyngor Llyfrau Cymru.

Argraffwyd a rhwymwyd yng Nghymru gan
Wasg Gomer, Llandysul, Ceredigion SA44 4JL.

HUNLLEF O ANRHEG

GRAHAM HOWELLS
ADDASIAD BETHAN GWANAS

Gomer

Roedd hi'n fore braf o hydref, ac mewn dyffryn coediog yng ngorllewin Cymru roedd nant fechan yn canu a brain yn crawcian yn ddioglyd. Yng nghanol y coed a sgleiniai'n aur ac oren, roedd pentref bychan yn dechrau deffro.

Fel unrhyw ddiwrnod arall, roedd plant yn cerdded a rhedeg i'r ysgol, ac yn sgwrsio a chwarae ar y buarth.

Ond i un bachgen, roedd heddiw'n wahanol. Aled oedd ei enw, ac roedd Aled yn un am boeni. Ofnai Aled bob dim dan haul erioed, a heddiw, roedd e'n arbennig o ofnus oherwydd mai dyma oedd ei ddiwrnod cyntaf mewn ysgol newydd. Roedd rhieni Aled wedi symud yn ôl i Gymru ar ôl bod yn gweithio dramor, a heddiw, dyma fe, mewn lle dieithr, yn llawn dieithriaid.

Oedodd Aled wrth ddrws yr ysgol. 'Plis, ysgol newydd, bydd yn garedig wrtha i. Helpa fi i beidio bod ag ofn.' Camodd i mewn yn nerfus.

* * *

Roedd Mr Jenkins, y prifathro, yn sefyll o flaen y dosbarth yn llygadu'r plant a eisteddai'n dawel o'i flaen.

'Heddiw, mae bachgen newydd yn ymuno â ni. Ar eich traed, Aled.' Cododd Aled yn ufudd a chochi at ei glustiau wrth i lygaid pawb droi ato.

'Rwy'n siŵr y byddwch chi'n gwneud llawer o ffrindiau newydd yma, Aled. Rydyn ni'n griw digon cyfeillgar. Iawn, eisteddwch,' meddai Mr Jenkins gyda gwên. 'Hefyd, ni fydd Mrs Davies yma heddiw, blantos.'

'Ooooo,' ochneidiodd y plant yn chwareus.

'Wn i, wn i, ond bydd Miss Ceridwen gyda chi yn ei lle hi.' Camodd Miss Ceridwen ymlaen.

Syllodd Aled ar ei athrawes newydd. Roedd ganddo deimlad bod rhywbeth yn od iawn am Miss Ceridwen. Roedd ganddi flodau yn ei gwallt, ac roedd ei dillad braidd yn rhyfedd, ond roedd rhywbeth arall amdani hefyd, rhywbeth na allai Aled roi ei fys arno.

'Diolch, Mr Jenkins,' meddai hi mewn llais fel awel gynnes ar ddail yr haf. 'Bore da, bawb.'

'Boooore Daaaa, Miiisss Ceriiidwen,' llafarganodd y plant.

'Iawn, felly mae popeth yn eich dwylo chi,' meddai Mr Jenkins wrth iddo adael y stafell.

'Heddiw, roedd Mrs Davies eisiau sôn am Galan Gaeaf,' meddai Miss Ceridwen.

O na, meddyliodd Aled. O holl adegau'r flwyddyn, Calan Gaeaf oedd y gwaethaf, am fod popeth yn ei ddychryn.

Dechreuodd Miss Ceridwen symud yn araf o amgylch y dosbarth, gyda chamau mor llyfn edrychai fel petai hi'n llithro drwy'r awyr.

'Fel y gwyddoch chi, mae'r ardal hon o Gymru yn llawn straeon o hud a lledrith.'

Oedodd a syllu i lygaid pob un o'r wynebau ifanc yn y stafell. Yna edrychodd ar Aled a gwenodd. Cochodd Aled eto ac edrych i ffwrdd i osgoi'r llygaid gleision, treiddgar.

'A dweud y gwir,' meddai hi, 'mae pob ogof a phob twll a chornel o'r dyffryn hwn wedi bod yn gartref i greaduriaid hudol o bob math. Dyna i chi gyffrous!'

Am be roedd hi'n rwdlan? meddyliodd Aled. Roedd hi'n swnio fel petai hi'n credu'r lol yma. Edrychodd o gwmpas y dosbarth a gweld bod pawb wedi eu hudo gan Miss Ceridwen.

'Felly, dw i am i chi sgrifennu stori am yr hud sy'n eich dyffryn chi yn ystod y cyfnod hyfryd yma – sgwennwch stori Galan Gaeaf ryfeddol,' meddai.

Ochneidiodd Aled. O na, nid stori dylwyth teg!

Yn sydyn, roedd Miss Ceridwen yn sefyll o'i flaen, ei llygaid gleision yn syllu i lawr arno. Cochodd Aled a llyncodd.

'Mae gen ti broblem gyda'r dasg, Aled.' Nid cwestiwn mohono.

'Ym …' meddai Aled. Oedd hi'n darllen ei feddwl?

'Oes, Aled?' meddai Miss Ceridwen.

'Y peth ydy … y straeon yma … dydyn nhw ddim yn

... ddim yn wir, Miss. Gwastraff amser ydy sgrifennu am bethau sydd ddim yn wir, ondefe?' Trawodd ei law dros ei geg, a daliodd gweddill y dosbarth eu gwynt. Pam ddywedodd e hynna? Dyna roedd e wedi ei feddwl, ond doedd e ddim wedi bwriadu ei ddweud yn uchel!

Suddodd pen Aled i mewn i'w ysgwyddau a chaeodd ei lygaid yn dynn, yn barod am ei bryd o dafod, pan ddechreuodd Miss Ceridwen chwerthin, gan lenwi'r stafell gyda'r sŵn hyfryd.

'Ddylet ti ddim credu pob dim rwyt ti'n ei feddwl, Aled,' chwarddodd Miss Ceridwen.

'Paid â phoeni, byddi di'n dysgu am yr hud sydd yn dy gartref newydd di.' Yna, tynnodd amlen fechan allan o gwdyn ar ei belt a'i rhoi i Aled. Roedd y papur brown, rhyfedd a'r sêl o gŵyr yn gwneud iddi edrych fel rhywbeth o amgueddfa – yn hen a bregus.

'Wnei di fynd â hwn i'r dyn bach clên yn y stordy draw fan acw?' gofynnodd hi. 'Roedd e'n fachgen newydd ei hun sbel yn ôl ac mi fydd o'n siŵr o allu dy helpu di gyda dy stori.' Pwyntiodd Miss Ceridwen at ddrws yng nghornel y stafell.

'Yn y stordy, Miss? Dyn bach?' gofynnodd Aled yn

ddryslyd. Mae'n rhaid mai rhyw fath o jôc ydy hyn, meddyliodd.

Edrychodd Aled ar y drws. Roedd e wedi gweld Mr Jenkins yn ei agor yn gynharach, a dim ond stafell fechan wag oedd yno, ar wahân i silffoedd o botiau paent, brwshys a ffeiliau.

Edrychodd ar Miss Ceridwen, yna cododd a cherdded draw at y stordy.

'Mae 'na ddyn bach yn y stordy, Miss?' gofynnodd yn amheus. Doedd neb arall yn y dosbarth i'w gweld wedi sylwi beth oedd yn digwydd.

'Oes, Aled,' meddai Miss Ceridwen, gan droi'n ôl at y dosbarth. 'Felly, blantos, tra bydd Aled yn dechrau ar ei stori, ydyn ni i gyd yn edrych ymlaen at y trip ysgol for—' Chlywodd Aled mo'r gweddill oherwydd ei fod wedi agor drws y stordy, ond tu mewn, doedd dim stordy. Bellach, lle bu silffoedd a photiau paent roedd stafell fawr, ofnadwy o dywyll ac ofnadwy o hen ffasiwn.

Yn wahanol i'r arfer, roedd Aled â mwy o ddiddordeb nag o ofn, a chamodd i mewn. Gwelodd ei fod mewn hen fwthyn. Wrth i'w lygaid arfer â'r tywyllwch sylwodd ar fwrdd hir o bren tywyll yng nghanol y stafell. Arno roedd jygiau pridd, powlenni pren a channwyll heb ei chynnau. Y tu draw i'r bwrdd safai hen gloc wyth niwrnod yn erbyn y wal.

Roedd y stafell yn gynnes, a deuai arogl mwg o le tân mawr lle roedd pentwr o goed yn llosgi. Roedd ffenest fechan yn y gornel, ond nid y tu allan i'r ysgol oedd i'w weld drwyddi.

Roedd popeth am y bwthyn yn teimlo'n hen, yn hynafol, ond yn edrych fel newydd hefyd, ac roedd Aled yn gegrwth.

'Helô,' meddai llais bychan wrth ei ymyl.

'WAAAAA!' sgrechiodd Aled, bron â neidio allan o'i groen. Yn eistedd ar stôl fach bren wrth y tân roedd dyn bychan iawn gyda chlustiau pigog a het bigog. Am ei ganol, gwisgai fath o sgert racsiog wedi ei chlymu â darn o hen raff.

Trodd Aled i fynd yn ôl drwy ddrws y stordy ond roedd hwnnw bellach yn hen ddrws pren oedd yn gwrthod agor!

'Croeso i gartref yr hen Fwbach tlawd hwn,' meddai'r Bwbach gan foesymgrymu bron at y llawr. 'Dwyt ti 'rioed yn gadael yn barod?' gofynnodd yn siriol, gan gamu i ganol y stafell. 'Does gen ti ddim neges i mi?'

Safodd Aled yn stond â'i gefn yn erbyn y drws, a'i lygaid fel soseri.

'Neges? Ym … O … Yr amlen dy'ch chi'n feddwl?'

'Siŵr o fod,' meddai'r Bwbach gan estyn ei law.

'Sut oeddech chi'n gwybod amdani?' gofynnodd Aled, gan roi'r amlen gafodd e gan Miss Ceridwen yn ei law. Dyna pryd y sylwodd ar y sgrifen gyrliog:

'At Sylw y Bwbach'

'Aderyn bach ddywedodd wrtha i,' meddai'r Bwbach gan bwyntio at aderyn bychan ar sil y ffenest. Agorodd y Bwbach y sêl ar yr amlen a thynnu'r nodyn ohoni. Darllenodd e yng ngolau'r tân.

'Weihei! Mae'r Arglwyddes Ceridwen yn deud mai bachgen newydd wyt ti!' meddai'r Bwbach. Rhythodd Aled ar y dyn bach rhyfedd, wedi drysu'n lân, a'r ofn yn codi eto.

'Do'n i'n nabod neb pan ddaeth y bwthyn a minnau yma chwaith,' gwenodd y Bwbach. Dechreuodd Aled grynu; doedd ganddo ddim clem am beth roedd y dyn bach yn rwdlan. 'Mae'r Arglwyddes Ceridwen yn deud mai be rwyt ti ei angen ar ddiwrnod mor arbennig ydi cwmni.'

'Diwrnod arbennig? Cwmni? Dw i angen mynd yn

ôl i'r dosbarth,' meddai Aled mewn llais gwan, llawn ofn. 'Plis gadewch i mi fynd yn ôl,' crefodd.

'Ti'n iawn,' meddai'r Bwbach. 'Does dim eiliad i'w gwastraffu.' Trodd y Bwbach a chamu at hen ddresel bren yn llawn cypyrddau a droriau.

'Bydd raid i ti fod yn dawel am eiliad; mae o braidd yn nerfus gyda phobl ddiarth.' Cnociodd y Bwbach gnoc hynod gymhleth ar un o'r cypyrddau.

Doedd dim smic, dim ond Aled yn crynu wrth rythu ar y Bwbach bach yn gwenu'n ôl arno. Yna, yn sydyn …

'RAAAAAAAAAAAAAAAAAR!'

Ffrwydrodd rhywbeth blewog a brawychus allan o'r cwpwrdd ac i mewn i'r stafell. Gyda gwaedd, neidiodd Aled ar ei gwrcwd i'r gornel agosaf. Gyda'i lygaid ar gau y tu ôl i'w ddwylo, gwrandawodd mewn arswyd wrth i rywbeth ruo a rhuthro o gwmpas y bwthyn.

'O ia,' gwaeddodd y Bwbach dros y twrw, 'efallai y dylwn i fod wedi deud ei fod o'n un am gynhyrfu fymryn!'

Yn araf, tynnodd Aled ei ddwylo o'i wyneb ac agor ei lygaid.

'B … be … beth yw e?' gofynnodd, wedi dychryn

am ei fywyd. Roedd rhywbeth afiach gyda llygaid melyn, milain yn bownsio o'i flaen ac yn newid siâp a maint yr un pryd. Gwasgodd Aled ei hun i'r gornel, gan fethu peidio gwylio'r peth yn troi'n gorryn anferthol, yn fop, yn froga tew, yn llwy ... ac yn un siâp gwahanol ar ôl y llall.

'Bwci Bo,' eglurodd y Bwbach, 'er, mae'n anodd eu hadnabod nhw pan maen nhw'n newid fel 'na. Mae hwn wedi bod yn aros efo fi gan ei fod o rhwng un cartref a'r nesa ar hyn o bryd. Mi fydd yn braf iddo fo gael dod allan ac ymestyn ei goesau ... neu ei dentaclau ... neu beth bynnag.'

Cododd y Bwbach neges Miss Ceridwen er mwyn i'r Bwci Bo aflonydd ei darllen. Gan gadw ei ffurf fel draig fach flewog, edrychodd y creadur ar y nodyn, yna ar Aled.

'Cofia edrych ar ei ôl o. Mae'n gallu bod yn sensitif iawn,' meddai'r Bwbach wrth Aled, gan roi mwythau i'r ddraig fach fyr ei gwynt.

'Sa i'n edrych ar ôl unrhyw beth!' protestiodd Aled. 'Gadewch i mi fynd 'nôl!'

'Syniad da. Bydd yr Arglwyddes Ceridwen yn dy ddisgwyl.'

Ymbalfalodd Aled gyda chlicied y drws, a llwyddo i'w agor.

Neidiodd drwy'r drws a gweld ei fod yn ôl yn y dosbarth. Roedd yn crynu o'i gorun i'w sawdl, a gwelodd fod y plant eraill yn gadael y dosbarth. Trodd at Miss Ceridwen.

'Popeth yn iawn, Aled? Mae golwg wedi dychryn fymryn arnat ti,' meddai hi gan dacluso papurau ar y ddesg.

'Bwci ... Bwci ... Bwci ...' ceciodd Aled.

'Anghofia am hynna nawr, Aled. Mae'n amser mynd adre.'

'Adr ... adre? Ond do'n i ddim yno mor hir â hynna!'

'Ydi, mae amser yn hedfan pan wyt ti'n cael hwyl,' meddai Miss Ceridwen. 'Wela i di fory ar y trip ysgol. Mwynha dy hun heno.'

'Hwyl? Doedd hynna ddim yn hwyl ... be? Be sy'n digwydd heno?'

Gan chwerthin, roedd Miss Ceridwen eisoes yn llithro allan o'r stafell gan adael Aled ar ei ben ei hun, yn crynu fel deilen.

Cydiodd Aled yn ei fag; roedd e angen dianc o'r ysgol wallgof hon cyn gynted â phosib.

'Hei! Wôô! Gan bwyll, beth yw'r hast?' Daeth bachgen mawr gwalltgoch i'r golwg yn y cyntedd a rhwystro Aled rhag gadael y stafell. 'Rwyt ti'n newydd yma ac mae'n rhaid i mi egluro'r rheolau Calan Gaeaf i ti. Os wela i di allan heno yn chwarae cast neu geiniog, bydd raid i ti roi dy siocled i gyd i mi, iawn?'

O na, meddyliodd Aled, dyna'r cwbl dw i ei angen – bwli.

Doedd Aled ddim yn bwriadu mynd allan heno, felly 'Dim problem!' meddai'n syth yna gwthio heibio i'r bachgen a brysio allan.

Roedd mam-gu Aled yn aros amdano y tu allan i'r ysgol a rhedodd tuag ati. Byddai wastad yn teimlo'n ddiogel gyda Mam-gu. Byddai ei gwên gyson a'r dillad llachar, lloerig roedd hi'n eu creu iddi ei hun yn pylu pob problem. Roedd rhieni Aled yn dal yn y gwaith am sbel, felly dechreuodd Aled a'i fam-gu gerdded i'w thŷ hi ar gyrion y pentref.

'Felly sut oedd dy ddiwrnod cyntaf di? Mae'n

Galan Gaeaf heddiw, felly wnest ti unrhyw beth brawychus?' gofynnodd Mam-gu.

'Do ... do, yn bendant,' atebodd Aled.

'Gwych, rhaid i ti ddweud y cyfan wrtha i ... hei, pwy yw hwn?' meddai gan edrych i lawr.

Edrychodd Aled i lawr hefyd, a gweld bod y ci hyllaf, bleraf erioed yn eu dilyn.

'Wel, am gariad bach!' meddai Mam-gu gan godi'r ci bychan. 'Dw i ddim wedi ei weld yma o'r blaen a does dim coler arno fe.'

O diar, meddyliodd Aled. Roedd Mam-gu wrth

ei bodd gydag unrhyw anifail strae. Byddai'n gofalu amdanyn nhw bob amser, felly gwyddai y byddai'r sgrwffyn bach blêr yma'n dod adref gyda nhw. Dyna pryd y sylwodd Aled ar y llygaid milain melyn roedd wedi eu gweld ym mwthyn y Bwbach, llygaid a fyddai'n rhoi hunllefau iddo am byth – llygaid bwystfil oedden nhw!

'Ooo, mae'n edrych mor llwglyd,' meddai Mam-gu'n dyner.

'Bydd e'n cnoi dy ben di'n slwtsh, Mam-gu!'

'O, un doniol wyt ti, Aled.'

'Y… y ... Bwci Bo yw e,' ceciodd Aled wedi iddo ei nabod, gan deimlo'n sâl.

'Enw da. Bwci Bo fydd ei enw e, felly,' meddai Mam-gu, gan gwtsio'r bwystfil bach blewog yr holl ffordd adref.

Yng nghegin Mam-gu, rhythodd Aled mewn arswyd ar y Bwci Bo yn llyncu'r powlennaid anferthol o bwdin reis a bananas roedd hi wedi ei rhoi iddo.

'Dylet ti fynd â Bwci Bo bach babi del am dro, Aled, cyn iddi dywyllu.'

'Be …?' A chyn iddo gael cyfle i brotestio, roedd Mam-gu wedi dod o hyd i goler a thennyn, cau'r coler am wddf y bwystfil barus, rhoi'r tennyn yn llaw Aled a gwthio'r bachgen a'r bwystfil drwy'r drws.

Safodd Aled yn edrych i lawr ar Bwci Bo. Roedd e'n mynd â *bwystfil* am dro! Ond roedd e'n anghywir; y bwystfil oedd yn mynd â fe am *ras*! Saethodd y ci i ffwrdd gan lusgo Aled ar ei ôl. Ceisiodd Aled ollwng y tennyn ond am ryw reswm, allai e ddim agor ei law.

'Stopia! Stopia!' gwaeddodd, ond gwyddai na fyddai'n gwneud gwahaniaeth, ac ymlaen â nhw, ar garlam.

Ymlaen aeth y ddau, i lawr lonydd cefn, ac yna ar hyd llwybrau bach caregog i gyfeiriad y goedwig. Poenai Aled o ddifrif erbyn hyn; doedd e ddim wedi bod yn y pentre'n hir iawn a chyn bo hir roedden nhw mewn rhan o'r goedwig oedd yn ddieithr iddo.

Teimlai Aled eu bod wedi rhedeg yn hynod o bell, yn rasio drwy ganghennau oedd yn crafu a chrafangu ei wisg ysgol, pan ddaeth y Bwci Bo i stop sydyn. Sglefriodd Aled, a bron â tharo i mewn i'r creadur bach.

Roedd hi'n tywyllu bellach, ond gallai Aled weld eu bod mewn llannerch yn y coed lle roedd popeth yn garped o fwsogl gwyrdd, meddal. Yng nghanol y llecyn roedd bryn bychan caregog gyda dwy goeden yn tyfu o'r copa.

Roedd yr awyr yn gwbl lonydd yma a niwl oer yn codi.

Wrth sefyll yno ar goesau jeli, wedi blino gormod i symud, sylweddolodd Aled ei fod ar goll mewn coedwig dywyll gyda bwystfil afiach. Doedd e erioed wedi teimlo mor ofnus yn ei fyw.

Aeth cryndod drwy gorff Aled. Yna dechreuodd yr awyr glecian, ac o amgylch y bryn bychan a'i ddwy goeden dawnsiai golau rhyfedd yn y niwl.

Gan rymblan yn ddwfn, dechreuodd y bryn dyfu. Cododd, ac yn araf, o grombil gwreiddiau cnotiog y ddwy goeden, daeth dwy lygad fawr, gron i'r golwg. Llygaid melyn, golau, yn hen fel yr oesoedd. Roedden nhw'n disgleirio, ac yn edrych yn syth i gyfeiriad Aled.

Yna dychrynodd Aled hyd yn oed yn fwy. Wrth ei ochr, dechreuodd y Bwci Bo udo yn ddigon uchel i fferru'r gwaed, a bu bron i Aled lewygu gyda'r sioc.

'Cyfarchion i tithau hefyd, Bwci Bo. Ha! ... Ha ha!' chwarddodd y Bryn yn ddwfn. 'Bachgen ofnus a Bwci Bo yn dod i weld yr Hen Fryn ar noson Calan Gaeaf.

Ha!' meddai mewn llais cyn ddyfned â'r ogof ddyfnaf yn y byd.

Daeth syniad hurt i feddwl Aled y dylai egluro ei hun, a hynny wrth fryn: 'Y Bwci Bo lusgodd fi yma! Does gen i ddim clem pam!' meddai, mewn llais crynedig.

Edrychodd Aled ar y Bwci Bo ar ben arall y tennyn. O flaen ei lygaid, chwalwyd y coler am ei wddf a throdd y Bwci Bo yn ddraig fechan, flewog. Oedd hwn yn un o'i hoff ffurfiau, tybed? meddyliodd Aled, ei feddwl yn crwydro am eiliad. 'A dw i'n cael diwrnod gwirioneddol od a dychrynllyd,' meddai, gan gofio lle roedd e.

'Ha ha!' rhuodd y Bryn. 'DIM OND PAN DDAW'R TYWYLLWCH GEI DI WELD PA MOR DDEWR WYT TI!'

Roedd y sŵn dwfn dan ddaear yn teimlo fel chwerthiniad dan ei draed, a dechreuodd Aled deimlo cosi rhyfedd yn dringo i fyny ei goesau. Edrychodd i lawr a gweld goleuadau bychain yn chwyrlïo i fyny o'r mwsogl wrth ei draed. Clywodd 'Whwwsh!' uchel a chlec yn ei glustiau. Roedd rhywbeth wedi newid.

Edrychodd Aled i fyny at y Bryn gan sylweddoli

ei fod yn teimlo rhywbeth nad oedd e erioed wedi ei deimlo o'r blaen; roedd e'n dawel ei feddwl. Roedd llonyddwch braf wedi cymryd lle yr ofn ynddo. Tybed oedd e wedi mynd drwy dwnnel ei arswyd ac allan yr ochr draw?

'Dw i ddim yn ddewr o gwbl,' meddai Aled. 'Ond dw i ddim yn meddwl bod gen i ofn ar hyn o bryd. Ai chi sydd wedi hudo fy ofnau i ffwrdd?'

'Ddim o gwbl,' atebodd y Bryn. 'Ti sydd wedi rhoi'r gorau i gredu pob dim rwyt ti'n ei feddwl. Call iawn.'

'Ymm ...?' meddai Aled yn ddryslyd.

'Mae'r ffin rhwng y byd hud a byd y meidrolion yn denau ar noson Calan Gaeaf, ac mae'r ddau fyd yn ymuno i ddathlu'r Anweledig. Mae cyfarfod â'r Bwbach dewr, a phopeth ddaw o hynny, yn anrheg brin gan yr Arglwyddes Ceridwen,' meddai'r Bryn.

'Sut? Pam? Pa fath o anrheg ydy hi? Un gas?' gofynnodd Aled.

'HA! HO!' chwarddodd y Bryn. 'Ychydig iawn o "Sut?", "Pam?" a "Be?" sydd ym myd y tylwyth teg!'

'Ond mae'n rhaid bod y Bwci Bo wedi dod â fi yma am reswm?' gofynnodd Aled yn obeithiol.

'Digon posib. Ond mae hwnna'n swnio'n debyg iawn i gwestiwn "Pam".'

'Ydw i yma i gael pwerau arbennig?' gofynnodd Aled yn obeithiol.

'Nac wyt,' meddai'r Bryn.

'O. Ydw i'n mynd i gael rhywbeth gynnoch chi, felly?' gofynnodd Aled. 'Rhywbeth da, nid ych a fi?' ychwanegodd yn frysiog.

'Os wyt ti'n dymuno.' Cododd y Bryn ei ysgwyddau, gymaint ag y gall bryn godi ei ysgwyddau, beth bynnag. 'Beth am i mi roi deg deilen eiddew i ti, ond mae'n bwysig mai ti sy'n eu casglu o'r goedwig. Tafla un o'r deg deilen, yna mala'r naw sydd ar ôl yn bowdr. Pan fyddi di'n rhoi'r powdr dan dy obennydd cyn cysgu, cei di'r gallu i weld gwrachod!'

'Yyym … ga i ddweud "Diolch, ond dim diolch"?' gofynnodd Aled yn chwithig. 'Dw i ddim yn meddwl y bydd hwnna'n ddefnyddiol i mi.'

'Tybed? Hmm ...' meddai'r Bryn gan astudio Aled yn ofalus. 'A-ha!' gwaeddodd wedyn. 'Dyma fydd fy anrheg i i'r Poenwr Mawr ar noson Calan Gaeaf:

Roeddet ti'n poeni am y Gorffennol a hwnnw wedi bod ac wedi mynd. Roeddet ti'n poeni am y Dyfodol, sy'n newid o hyd a byth o fewn cyrraedd. Rhwng y ddau mae Heddiw, sef lle rwyt ti bob amser. Gofala am Heddiw, a bydd Ddoe ac Yfory yn gofalu amdanyn nhw eu hunain.'

Teimlodd Aled ias yn llifo drwyddo, ac roedd e'n meddwl ei fod yn deall.

Neidiodd wrth glywed sŵn 'iap' wichlyd wrth ei draed, a chofiodd am Bwci Bo, y ddraig flewog wrth ei ochr.

'Mae'n bryd i'r bachgen a'r Bwci Bo ymuno â'r Helfa Wyllt!' cyhoeddodd y Bryn. 'HA HA! Ha Ha Ha!' ac yna caeodd ei lygaid disglair a chrebachodd y Bryn yn fychan, bach. *'Cofia; paid â chredu bob dim rwyt ti'n ei feddwl!'* galwodd. 'Ha Ha Haaaaa!' Diflannodd y chwerthin dwfn, ac roedd y llecyn yn lle o dawelwch a niwl unwaith eto.

Dechreuodd y Bwci Bo swnian eto, yn uwch o lawer. Rhythodd Aled ar y creadur, ac o fewn dim, trodd y Bwci Bo yn groes rhwng draig ac estrys, yn gyhyrau i gyd, ac yn fawr a ffyrnig yr olwg. Llyncodd Aled.

'Drrringa,' chwyrnodd Bwci Bo yr estrys-ddraig.

'Ti'n gallu siarad?' meddai Aled, yn gyffro i gyd.

Plygodd y Bwci Bo, gan ddangos y dylai Aled ddringo ar ei gefn. 'Be? Dw i'n gorfod mynd ar dy gefn di?' Un edrychiad gan lygaid milain y Bwci Bo, a dringodd Aled ar ei gefn. Yn gyflym.

Llamodd y creadur cryf drwy'r coed yn syth. Daliodd Aled yn dynn gyda'i ddwylo'n ddyrnau ar blu cras y creadur, a phlygu'n isel i osgoi canghennau, a rhyfeddu wrth i'r coed wibio heibio.

Cyn hir, roedden nhw allan o'r goedwig. Roedd lleuad lawn wedi codi a'i golau yn dangos caeau roedd Aled yn eu nabod. Ymlaen â'r Bwci Bo ar garlam nes iddo ddod i stop ger tŷ Mam-gu. Neidiodd Aled o'i gefn a throdd y Bwci Bo yn gi bach blêr unwaith eto.

Roedd hi'n noson dawel a chwyrlïai niwl yn ddioglyd o amgylch eu traed.

'Roeddet ti ar frys i ddod yn ôl, doeddet?' meddai Aled wrth y Bwci Bo. 'A be oedd hwnna am Helfa Wyllt?' Sylweddolodd y byddai ei rieni adref erbyn hyn. Bydden nhw a Mam-gu yn poeni amdano. 'Beth bynnag, rhaid i mi fynd adref,' meddai.

'Oi!' gwaeddodd rhywun, a throdd Aled i weld y bwli gwalltgoch yn dod tuag ato, wedi ei wisgo mewn

bag bin du oedd i fod, mae'n debyg, yn wisg Calan Gaeaf. Ai prwnsen ddieflig oedd e? meddyliodd Aled, â hanner gwên.

'Ble mae'n siocled i?' mynnodd y bachgen.

'Siocled?'

'Ie, rwyt ti a dy gi bach salw wedi bod allan yn chwarae cast neu geiniog, ac mae arnat ti siocled i mi.' Clywodd Aled sŵn chwyrnu wrth ei ochr. O diar, meddyliodd.

'Fydden i ddim yn ei alw'n salw 'sen i'n dy le di,' meddai Aled.

'O ie?' gwawdiodd y bwli, wedi ei synnu bod Aled fel petai e'n dal ei dir. 'A be wyt ti'n mynd i wneud am y peth?' gofynnodd, gan edrych ychydig yn llai siŵr ohono'i hun.

'Wel …' meddai Aled.

'Bachgen drwwwwg,' chwyrnodd y Bwci Bo.

'Hei! Wnaeth dy gi di siarad?' ceciodd y bwli'n nerfus.

Dyna pryd trodd y Bwci Bo yn rhywbeth wirioneddol frawychus. Saethodd i fyny gan dyfu cyrn, crafangau a chennau. Agorodd geg fel ogof i ddangos dannedd hirion, miniog, glafoeriog. Yn

sydyn roedd y Bwci Bo yn anferthol a phigog, ac yn flin iawn, iawn.

Rhythodd y bwli i fyny ar y bwystfil erchyll, wedi dychryn yn rhacs ac yn crynu a checian. Estynnodd y bwystfil-Bwci Bo ei ben corniog fel bod ei wyneb afiach ar yr un lefel â wyneb y bwli, ac yna, fodfeddi o'i drwyn, lygad yn llygad, gollyngodd y Bwci Bo sgreeeeeeeech hir, erchyll oedd yn treiddio i fôn ei esgyrn!

Wrth i'r Bwci Bo sgrechian, ffrwydrodd llysnafedd drewllyd o'i geg i wyneb y bwli, a sgrechiodd y bwli'n ôl ato gyda holl nerth ei ysgyfaint.

Safodd y bwli yno â'i lygaid wedi eu cau'n dynn, a sgrechian am sbel eithaf hir. Pan stopiodd, agorodd ei lygaid a gweld Aled a'i gi bach blêr yn ei wylio'n berffaith dawel a hamddenol. Roedd e'n siŵr bod y ci yn piffian chwerthin.

'Oeddet ti'n holi am siocled?' meddai Aled yn frysiog, i geisio torri ar y tensiwn annifyr. 'Na, sori, does gen i ddim ar hyn o bryd.' Rhythodd y bwli'n gegrwth arno, a llysnafedd yn diferu i lawr ei wyneb. 'Aled ydw i, gyda llaw. Ches i mo dy enw di.'

'Ethan,' meddai'r bachgen llysnafeddog yn llipa, gan syllu o'i flaen gyda llygaid fel soseri.

'Os ga i siocled, ti fydd y cynta i wybod, Ethan. Mae'n rhywbeth i edrych mlaen ato on'd yw e? Siocled blasus. Iawn ...' meddai Aled gyda gwên gyfeillgar, lawn ymddiheuriad. 'Wela i di 'te ...' Cododd ei law yn chwithig, yna trodd y Bwci Bo ac yntau at dŷ Mam-gu.

Stopiodd y ddau y tu allan ac aeth Aled ar ei gwrcwd i gosi gên y Bwci Bo. 'Rhaid i mi fynd gartre nawr, ond diolch am bob dim, Bo.' Saethodd tafod hir, bigog y Bwci Bo allan o'i geg a llyfu wyneb Aled.

Sythodd Aled ac edrych drwy ffenest Mam-gu.

Safodd yno am sawl munud, yn cael trafferth credu ei lygaid. Roedd ei rieni a Mam-gu yn y tŷ, fel roedd yn disgwyl, ac yn sgwrsio'n fodlon. Y sioc gafodd Aled oedd gweld y peth oedd yn eistedd ar y soffa. Roedd ganddo glustiau pigog a thrwyn hir, roedd e tua dwy droedfedd o daldra ac yn gwisgo dillad Aled! Pan sylwodd y creadur ar Aled yn edrych arno, cododd law arno gyda gwên.

'BE?' ebychodd Aled, ac edrychodd i lawr ar Bwci Bo. 'Mwy o hud a lledrith? Mae'r peth 'na'n esgus mai fi yw e , on'd yw e? Pam, SGWN I?'

'CAST NEU GEINIOG!' Neidiodd Aled mewn braw. Trodd i weld menyw yn hofran uwchben stepen drws ei fam-gu. Dawnsiai ei ffrog hen ffasiwn yn hamddenol o'i hamgylch, ac roedd ei chroen cyn wynned â'i gwisg. Gwenai arno fel petai hi'n disgwyl rhywbeth.

Trodd Aled at Bwci Bo. 'O ddifri? Ysbryd? Does gen ti ddim byd i'w ddweud am hyn?'

'Fi yw'r Ladi Wen,' sibrydodd y fenyw.

'Ie, wrth gwrs,' meddai Aled. Erbyn hyn, meddyliodd, mae'n rhaid ei fod e'n bendant wedi mynd drwy dwnnel ofn ac allan yr ochr draw.

Teimlai na allai dim ei synnu bellach ... ond roedd yn anghywir.

Edrychodd i fyny at yr awyr lawn sêr. Rhywle uwch ei ben credai y gallai glywed sŵn haid o gŵn yn cyfarth o bell. Roedd y sŵn yn wan i ddechrau, ond yn tyfu'n uwch, nes ei fod bron yn siŵr fod haid o gŵn ar do Mam-gu.

'CAST NEU GEINIOG!!!!' daeth sgrech erchyll o rywle uwch ei ben. Bu bron i Aled neidio allan o'i groen, a oedd yn dipyn o gamp, o ystyried popeth oedd wedi digwydd iddo hyd yn hyn. Yn sydyn,

ymddangosodd wyneb hunllefus dros erchwyn y gwter.

'WAAAA!' sgrechiodd Aled.

Roedd yr wyneb yn grychau a rhychau i gyd, fel afal drwg, ac yn perthyn i hen wrach a wenai'n frawychus arno. Yna chwarddodd hi'n uchel a chras gan ddangos dau ddant cam mewn ceg fawr prin o ddannedd. Rhywle y tu ôl iddi ar y to roedd cŵn yn cyfarth.

Camodd Aled yn ôl ar y ffordd i gael gwell golwg ar beth bynnag oedd yn digwydd ar do Mam-gu. Hofranai'r Ladi Wen wrth ei ochr, a hithau hefyd eisiau gweld yn well.

Roedd y lleuad lawn yn uchel bellach, ac yn sgleinio i lawr ar olygfa yrrodd ias i fyny asgwrn cefn Aled. Gwenodd y Ladi Wen wrth ei ochr. Roedd cŵn i fyny yna; nid yn sefyll ar y to, ond yn hofran yn anniddig uwchlaw. Doedden nhw'n ddim byd tebyg i unrhyw gŵn welodd Aled o'r blaen ac roedd yna haid enfawr ohonyn nhw.

Roedden nhw'n fawr a phwerus, a'u cotiau'n berffaith wyn. Gallai weld fod tu mewn eu clustiau yn goch, ond i Aled, y peth gwaethaf amdanyn nhw

oedd y llygaid. Roedden nhw'n llosgi fel petaen nhw ar dân.

Yna sylwodd Aled ar berson mewn cerbyd – cerbyd rhyfel hardd yn cael ei dynnu gan anifail oedd yn hanner ceffyl, hanner draig.

Edrychai wyneb urddasol y gyrrwr fel petai'r rhan fwyaf ohono'n farf hir fel afon o ddail, ac roedd dau gorn carw anferthol yn tyfu allan o'i ben.

'Cyfarchion Calan Gaeaf i ti, Aled,' meddai'r gyrrwr mewn llais cyn ddyfned â gwreiddiau'r coed.

 41

'Wele ogoniant Gwyn ap Nudd,' gwichiodd yr hen wrach gan gyfeirio at y gyrrwr barfog. 'YN HŶN NA'R CREIGIAU A CHYFAILL Y COED CYNTAF, DYMA'R BRENIN GWYRDD, ARGLWYDD ANNWN, MEISTR YR HELFA WYLLT! Ymgryma a chryna, blentyn meidrol!' sgrechiodd hi gan chwifio ei breichiau fel melin wynt ddramatig.

'Callia, Mallt,' meddai'r Brenin Gwyrdd wrth iddi ddringo i lawr o'r to. 'Does dim angen ymgrymu na chrynu,' meddai'n glên wrth i'w gerbyd lanio ar y ffordd. 'Aled, byddi'n ymuno â ni ar yr Helfa.'

'Be?' gwichiodd Aled.

'Mae'r Ladi Wen yma,' meddai'r Brenin Gwyrdd, 'a Mallt y Nos, Cŵn Annwn, a'r Bwci Bo. Felly dim ond un bach sy ar ôl ...'

Yna taranodd sŵn trotian trwm, ac allan o'r niwl daeth siâp enfawr i fyny'r ffordd tuag atyn nhw. Yng ngolau'r lleuad, gallai Aled weld mai hwch anferthol, flewog oedd hi, yn gwbl ddu o'i swch grychog yr holl ffordd i'r lle dylai ei chynffon fod. Sylwodd Aled fod rhywun yn eistedd ar ei chefn hi. Mewn gwisg hynafol, laes, roedd merch heb ben yn codi llaw arnyn nhw.

Ceisiodd Aled wneud synnwyr o'r olygfa ryfedd ond y cwbl allai feddwl oedd bod yr hwch ddu, ddigynffon yn heini iawn am greadur mor anferthol. Wrth iddi ddod i stop o flaen tŷ Mam-gu, neidiodd a dawnsiodd yr hwch yng nghanol y ffordd, wedi cyffroi'n lân. Roedd hi'n anodd dweud yn iawn, ond edrychai'r ferch ddi-ben fel petai'n mwynhau ei hun. Daliodd yn dynn gydag un llaw fel cowboi mewn rodeo, gan bwyso'n ôl a chwifio'i braich uwch lle dylai ei phen fod.

Syllodd Aled yn gegrwth ar y casgliad rhyfedd o gymeriadau o flaen tŷ ei fam-gu: y Brenin yn ei gerbyd, hen wrach grychlyd, y Ladi wen, y Bwci Bo (oedd yn ddraig flewog eto) a merch heb ben yn eistedd ar anferth o fochyn du. Uwchben y cyfan roedd haid o gŵn yn cyfarth yn ddiamynedd. Beth yn y byd oedd yn digwydd yma?

'Yrrrg …?' crawciodd llais bychan y tu ôl i Aled.

Trodd i weld Ethan, yn ei fag bin du, yn rhythu'n hurt ar y cyfan â dagrau yn ei lygaid.

'O …' meddai Aled, gan edrych ar y sioe ryfeddol o hud a hunllef. 'Dw i … ym … jest allan gyda ffrindiau yn chwarae cast neu geiniog.' Gwenodd yn wan. 'Gwisgoedd da, on'd y'n nhw? Beth bynnag. Dim siocled eto, sori ... ond mae'n gynnar!'

Symudodd y Brenin Gwyrdd ymlaen gyda'i gerbyd a'i ddraig-geffyl.

'Rhaid i'r Helfa ddechrau, Aled. Dringa i fyny,' meddai gan bwyntio at le wrth ei ochr yn y cerbyd crand.

Unrhyw beth i ddianc rhag wyneb truenus Ethan, meddyliodd Aled, a dringodd i fyny a sefyll wrth y Brenin. Trodd y Bwci Bo yn fath o aderyn moel, digon annymunol a chlwydo o'i flaen ar y cerbyd.

Gosododd y Brenin Gwyrdd gorn cywrain wrth ei geg a chwythu un nodyn main, byddarol, a gwasgodd Aled ei ddwylo dros ei glustiau. Adleisiodd sain y corn drwy'r bryniau, a chyfarthodd ac udodd Cŵn Annwn yn gynnwrf i gyd.

Fel sioe dân gwyllt yn yr awyr uwchben y cŵn, ymddangosodd dwsinau o goblynnod o bob lliw a llun a disgyn ar gefnau'r anifeiliaid swnllyd.

'Aros funud. Helfa? Dw i ddim o blaid hela. Be rydyn ni'n hela?' gofynnodd Aled.

'Plant!' meddai'r Brenin, cyn rhoi plwc sydyn i ffrwynau'r cerbyd.

'BEEEEE?' gwaeddodd Aled wrth iddyn nhw saethu i fyny i'r awyr.

Gan ddal yn sownd gyda'i holl nerth, gallai Aled weld fod holl Gŵn Annwn yn llamu'n awchus drwy'r awyr gyda nhw, pob un gyda choblyn ar ei gefn, yn chwerthin a gweiddi'n swnllyd. Ar un ochr i'r cerbyd roedd Mallt y Nos yn sgrechian yn llawn cynnwrf ar gefn ci mawr, gyda'r Ladi Wen wrth ei chynffon ar gi mawr arall. Ar yr ochr arall hedfanai'r hwch ddu ddigynffon yn cario'r ferch heb ben. Hyn oll i gyfeiliant twrw dychrynllyd y cŵn yn udo.

O flaen Aled roedd y Bwci Bo'n dal yn sownd gyda'i grafangau ac yn crawcian yn hapus.

'Be'n union oeddech chi'n feddwl, "Plant"?' gwaeddodd Aled dros dwrw'r cŵn. Edrychodd y Brenin i lawr arno a gwenu.

'Ychydig iawn o "Sut?", "Pam?" a "Be?" sydd ym myd y tylwyth teg!' Ac yna, o weld yr edrychiad yn llygaid y Brenin, sylweddolodd Aled pwy oedd e.

'Chi oedd y Bryn!' ebychodd Aled.

'Do, mi wnes i ymddangos i ti fel y Bryn. Mae gen i'r gallu i newid i lawer o ffurfiau,' chwarddodd y Brenin. 'Ac mi fydda i'n mwynhau chwarae gemau

bychain – mymryn o hwyl yr ŵyl. Ro'n i hefyd angen gwybod a oeddet ti'n addas ar gyfer yr Helfa Wyllt.'

'Ond dw i ddim eisiau hela plant!' protestiodd Aled.

Chwarddodd y Brenin. 'A dweud y gwir, hela eu breuddwydion fyddwn ni. Mae breuddwydion plant yn bwerus ac yn gallu newid y byd er gwell ac er gwaeth, a ni sy'n cadw'r ddysgl yn wastad. Heno rydyn ni'n chwilio am blant drwg, styfnig. Weithiau mae angen ... altro eu breuddwydion nhw.'

'Be fyddwch chi'n ei wneud yn union?' gofynnodd Aled.

'Dilyn gwyntoedd y dychymyg a rhoi iddyn nhw freuddwydion rhyfeddol yn anrheg,' gwenodd y Brenin. 'Mae'n sbort garw!'

'Breuddwydion rhyfeddol? Hunllefau chi'n feddwl?' gofynnodd Aled gan frwydro i ddal ei afael wrth i'r Helfa Wyllt sgrialu a sgrechian drwy dywyllwch y nos. Gwenodd y Brenin Gwyrdd.

Aethon nhw i gartrefi pob un plentyn drwg y noson honno, a chafodd pob un ohonyn nhw freuddwydion erchyll yn llawn draig-geffylau yn tynnu cerbydau rhyfel, merched heb bennau ar gefn hychod mawr digynffon, a hen wrachod yn clwcian wrth arwain cŵn brawychus â bobo goblyn yn gwichian ar eu cefnau.

Y rhan anoddaf i'w deall i bawb a brofodd yr hunllef oedd bod rhyw fachgen â golwg wedi dychryn arno yn rhan o'r holl beth. Doedd e'n gwneud dim, ond eto, roedd e yno, yng nghanol y cwbl.

I Aled, bu'r noson yn ffair wyllt, wallgof o dwrw a helynt, ond bellach roedd yr Helfa Wyllt yn dod i stop uwchben dinas fawr. Roedd popeth yn dawel a llonydd a'r wawr yn dechrau goleuo'r awyr. Doedd Aled ddim wedi cael winc o gwsg nac wedi bwyta dim, ond roedd e'n teimlo'n gwbl effro ac yn llawn egni.

'Dw i'n teimlo ychydig bach yn euog yn dweud hyn, Eich Mawrhydi,' meddai Aled gan edrych i fyny ar y Brenin Gwyrdd, 'ond dyna'r sbort gorau i mi ei gael erioed!' Chwarddodd Aled yn uchel. 'Wwwwhwww!'

Chwarddodd y Brenin hefyd. 'Paid â theimlo'n euog, Aled. Mi fydd yr holl blant yna'n llawer gwell pobl ar ôl ein gwaith ni heno ... siŵr o fod.'

Dechreuodd y cerbyd ddisgyn o'r awyr, gan adael criw yr Helfa Wyllt mewn cwmwl uwch eu pennau.

Galwodd yr hen wrach i lawr o gefn ci: 'Ffarwél, feidrol fachgen!' Wrth ei hochr cododd y ferch heb ben ei llaw, a rhochiodd yr hwch yn hapus, braf. Bloeddiodd y coblynnod eu ffarwél hwythau.

'Hwyl fawr i ti, bach,' meddai'r Ladi Wen wrth i Aled a'r Brenin ddisgyn yn araf, a diflannodd yr Helfa i niwlach y cymylau uwchben.

Glaniodd y ddau ar wair yn sgleinio â gwlith, ac o ganol y tywyllwch niwlog roedd côr y wig yn dechrau canu wrth i'r adar ddeffro.

'Mae'n bryd i ni wahanu, Aled, fy ngwas i,' gwenodd y Brenin. 'Rydw i wir wedi mwynhau dy gwmni, ar y Bryn ac ar yr Helfa.'

Dringodd Aled i lawr o'r cerbyd. Roedd profiadau syfrdanol y noson yn dechrau treiddio i mewn i'w ben, ac roedd ar fin diolch i'r Brenin Gwyrdd pan ddigwyddodd rhywbeth i wneud iddo droi a syllu i mewn i'r niwl. Gallai Aled weld, ar binsh, goed ffawydd anferthol yn sefyll yn dal a syth, a daeth ofn sydyn drosto.

'Hei!' meddai. 'Dw i ddim yn byw fan hyn!'

Chwarddodd y Brenin yn uchel. 'Paid â bod yn Boenwr Mawr eto! Gofala am Heddiw a chaiff Yfory edrych ar ei ôl ei hun.' Ac yna, gan ddal i chwerthin, diflannodd.

'O … Mam … Bach …' meddai Aled, gan syllu ar y gofod lle roedd y Brenin newydd fod, wrth i'r niwl trwchus chwyrlïo o'i gwmpas. Doedd ganddo ddim syniad lle roedd e na sut i fynd adref.

'Iap!' Roedd y ddraig flewog wrth ei draed yn edrych i fyny arno.

'Bwci Bo,' meddai, gan ryfeddu at ba mor hapus y teimlai wrth weld y bwystfil bychan. Edrychodd o'i gwmpas. 'Ry'n ni ar goll, Bo,' meddai, gan weld dim heibio'r niwl a'r coedach o'u blaen. 'Dw i ddim yn gwybod lle i fynd o fan hyn.'

Rhoddodd y Bwci Bo edrychiad hapus i Aled, yna trodd a throtian i ganol y niwl.

'Hei! Rhaid i ni aros gyda'n gilydd,' galwodd Aled. Brysiodd drwy'r gwair tamp i gyrraedd y creadur cyflym. Roedd golau'r wawr yn codi bellach ac roedd e'n meddwl ei fod yn gallu gweld bwthyn yn y pellter. Wrth iddo agosáu sylwodd ei fod yn edrych yn hen ond yn rhyfeddol o newydd yr un pryd.

Stopiodd y Bwci Bo wrth y drws ac eistedd yno'n syllu arno. Cnociodd Aled ar y drws.

Cyn hir gallai glywed sŵn traed a'r glicied yn agor, ac yn araf bach, agorodd y drws.

'O'r diwedd ... Croeso'n ôl!' A dyna lle roedd y Bwbach o stordy'r ysgol yn sefyll yn wên o glust i glust. Rhythodd Aled yn gegagored ar y creadur bychan yn y drws. Neidiodd y Bwci Bo i fyny ac i lawr, wedi cynhyrfu ac yn newid yn gyflym o un siâp i'r llall.

'Dewch i mewn! Dewch i mewn!' meddai'r Bwbach.

Aeth Aled i mewn i'r bwthyn mewn perlewyg, gyda'r Bwci Bo wrth ei gwt, a chafodd ei synnu eto. Wrth i'w lygaid arfer â'r tywyllwch sylwodd ar fwrdd hir o bren tywyll yng nghanol y stafell. Arno roedd jygiau pridd, powlenni pren a channwyll heb ei chynnau. Y tu draw i'r bwrdd safai hen gloc wyth niwrnod yn erbyn y wal. Dyma lle roedd Aled wedi bod pan aeth trwy ddrws stordy'r ysgol.

Caeodd y Bwbach y drws y tu ôl iddyn nhw a safodd Aled wrth y lle tân ac edrych o'i gwmpas yn ddiamynedd.

'Ble ydw i?' gofynnodd Aled.

'Mae fy mwthyn i yn un o Dai Bythol Ffagan,' eglurodd y Bwbach. 'Tai sy'n llawn llu o straeon, a llawer o hud a lledrith ar yr adeg yma o'r flwyddyn, fel rwyt ti wedi ei weld, dw i'n meddwl.'

Daeth cnoc ar y drws, ac fel petai'n disgwyl mwy o ymwelwyr, aeth y Bwbach draw i'w ateb.

'Croeso i fy mwthyn tlawd, Arglwyddes,' meddai wrth bwy bynnag oedd y tu allan. Ymgrymodd y Bwbach yn isel wrth i rywun tal mewn clogyn lithro i mewn yn osgeiddig.

'Helô, Aled,' meddai'r ffigwr cyn setlo ar gadair a thynnu'r clogyn yn ôl i ddangos ei hwyneb.

'Miss Ceridwen!' ebychodd Aled.

'Cywir,' meddai hi gyda gwên. Estynnodd i gosi'r Bwci Bo y tu ôl i'w glust draig flewog. 'Noson ddiddorol?' gofynnodd, gan edrych ar Aled, a cheisio cuddio'r ffaith ei bod eisiau chwerthin.

'Oedd. Es i o gwmpas y lle yn anfon hunllefau i blant drwg,' meddai'n llawn cynnwrf. 'Roedd e'n wych! Y Brenin Gwyrdd oedd eich anrheg Calan Gaeaf i mi.'

'Ie, ond nid anrheg ar dy gyfer di'n unig, Aled. Mi wnest ti ei rhannu gyda'r bachgen arall.'

'Y bachgen arall?' gofynnodd Aled yn ddryslyd.

'Ie, yr un o'r enw Ethan.'

'Ethan? Y bwli? Sut wnes i ei rhannu gyda fe?'

'Wyt ti'n cofio beth ddwedaist ti wrth gamu i mewn i'r ysgol ddoe? "Plis ysgol newydd, bydd yn garedig wrtha i. Helpa fi i beidio bod ag ofn,"' meddai hi yn llais Aled. 'Y geiriau yna, ar noson Calan Gaeaf, ddaeth â fi yma.'

'Dywedodd Ethan rywbeth tebyg ar ei ddiwrnod cyntaf, ond yn wahanol i ti, penderfynodd mai amddiffyn ei hun drwy ymosod oedd y ffordd ymlaen, felly does ganddo ddim ffrindiau.

'Neithiwr mi wnest ti roi anrheg iddo, gyda help y Bwci Bo bach clyfar yma.' Crafodd y creadur bach clyfar o dan ei ên. 'Roedd Ethan hefyd angen rhoi'r gorau i gredu popeth roedd e'n ei feddwl.'

Safodd Aled yn stond, yn cofio'r noson flaenorol.

'Beth bynnag,' meddai Miss Ceridwen, 'mae'r dosbarth tu allan ar y trip ysgol, ac allwn ni ddim eistedd fan hyn yn sgwrsio drwy'r dydd. Wyt ti'n dod, Aled?' Cododd o'r gadair. 'Hwyl fawr i chi, Meistr Bwbach, a'ch bwthyn hyfryd. Da iawn chi, a chithau hefyd, fy Mwci Bo clyfar. Mae'r Brenin Gwyrdd yn hapus iawn.'

'Mae'r dosbarth tu allan?' gofynnodd Aled mewn penbleth. 'Ond newydd wawrio mae hi.'

'Nid awr y wawr mohoni bellach, Aled. Mae'n amser cinio,' meddai Miss Ceridwen, a rhoddodd far o siocled i Aled. 'Yn Nhai Bythol Ffagan mae rheolau amser yn gallu troi bob sut. Ond cofia di, Aled, yr amser pwysicaf bob amser yw Heddiw, a'r funud hon.' Gwenodd arno, yna troi a chamu allan i heulwen yr hydref.

'Diolch yn fawr am ddod i 'ngweld i, Meistr Aled,' meddai'r Bwbach. 'Oherwydd hynny y daeth Ei Harglwyddes yma, ac mae hynny'n anrhydedd o'r mwya.'

Edrychodd Aled i lawr ar y Bwbach bychan.

'Na, diolch i chi, Mr Bwbach. Chi ddeffrodd y Bwci Bo a rhoi i mi'r diwrnod a'r noson rhyfeddaf a gorau yn fy mywyd!' Edrychodd Aled ar y ddraig fechan flewog a syllodd ei llygaid gwlyb yn ôl arno.

Edrychodd y Bwbach ar y Bwci Bo. 'Meistr Aled, dach chi'n cofio fi'n deud bod y Bwci Bo rhwng un cartref a'r nesa ar hyn o bryd?'

'Ydw, dw i'n cofio,' meddai Aled.

'Wel … dw i'n meddwl ei fod o'n gwybod lle mae o am fyw erbyn hyn,' meddai'r Bwbach, a deallodd Aled yn syth.

'O ddifri?' chwarddodd Aled, wedi cynhyrfu. 'Bwci Bo, wyt ti am ddod gartref gyda fi?'

'Pwdin rrrrreis!' gwichiodd y Bwci Bo. Gan newid i fod yn gi bach blêr, neidiodd i mewn i freichiau Aled. Agorodd y Bwbach ddrws y bwthyn a cherddodd Aled, gan straffaglu i ddal y Bwci Bo yn llonydd wrth iddo lyfu ei wyneb, allan i heulwen diwrnod newydd sbon.

'Dewch draw eto, Meistr Aled, a thithau hefyd, Bwci Bo,' meddai'r Bwbach yn fodlon ei fyd, gan godi llaw o'r drws.

Yn y pellter gallai Aled weld ei gyd-ddisgyblion yn eistedd wrth fyrddau picnic, a cherddodd tuag atyn nhw. Eisteddai Ethan wrth un bwrdd ar ei ben ei hun, yn edrych yn drist.

'Haia, Ethan,' meddai Aled yn llawen. 'Ga i eistedd fan hyn?'

Wrth i Aled eistedd, edrychodd Ethan mewn braw ar y ci blêr. 'O, paid â phoeni am Bo,' meddai Aled. 'Dyw e ddim yn brathu.' Yna edrychodd Aled eto ar y creadur. 'O leia ... dw i ddim yn meddwl ei fod e.'

'Ta beth, mae gen i anrheg i ti,' meddai Aled, gan roi'r bar o siocled gafodd gan Ceridwen i Ethan. 'Mi wnes i addo.'

Edrychodd Ethan arno'n hurt.

'Rwyt ti eisiau rhoi hwn i mi a hynny heb i mi ofyn amdano?' meddai Ethan. 'Pam?'

'Oherwydd bod heddiw, y funud hon yn bwysig, a dw i'n meddwl y galla i wneud ffrind newydd heddiw,' gwenodd Aled. Gwenodd Ethan yn ôl wrth gymryd y siocled.

'Diolch,' meddai, a'i dorri yn ei hanner i'w rannu gydag Aled.

Enwau

Bwci Bo

Mae'r Bwci Bo yn cuddio mewn mannau tywyll er mwyn neidio allan a dychryn pobl. Mae'n tueddu i osgoi golau dydd ac yn fwy bywiog gyda'r nos. Gall Bwci Bo newid ei ffurf a'i siâp mewn dim. Er mwyn cael hwyl, mae e fel arfer yn hoffi troi ei hun yn rhywbeth erchyll, brawychus.

Bwbach

Math o gorrach tŷ yw Bwbach, sy'n amddiffyn ei gartref yn ffyrnig tu hwnt. Mae'n gallu bod yn ddireidus, ond os caiff ei drin yn dda, mae'n greadur digon annwyl. Bydd yn berffaith hapus i wneud tasgau o amgylch y tŷ os bydd y teulu'n dangos eu bod yn ei werthfawrogi. Mae'n arbennig o hoff o hufen.

Gwyn ap Nudd

Gwyn ap Nudd yw brenin y Byd Arall, sef Annwn. Mae'r Tylwyth Teg yn byw yn Annwn ac yn aml yn cael eu galw'n Blant Annwn.

Cŵn Annwn

Dyma'r cŵn lledrithiol o Annwn, y Byd Arall, sydd hefyd yn cael eu galw yn Gŵn Wybr. Gwyn ap Nudd sy'n eu harwain ar yr Helfa Wyllt.

Yr Hwch Ddu, Ddigynffon

Ysbryd goruwchnaturiol digon brawychus yw'r Hwch Ddu Ddigynffon, neu'r Hwch Ddu Gwta, sy'n edrych, credwch neu beidio, fel hwch ddu gwta – heb gynffon. Mae hi i'w gweld yn crwydro'r wlad yng nghwmni merch neu fenyw heb ben.

Y Ladi Wen

Ysbryd sy'n gwisgo gwyn o'i chorun i'w sawdl yw'r Ladi Wen. Bydd yn ymddangos o flaen plant i'w rhybuddio am y pethau ofnadwy all ddigwydd i blant drwg.

Mallt y Nos

Hen wrach gyfrwys yw Mallt y Nos, sydd i'w gweld yn teithio gyda Gwyn ap Nudd a Chŵn Annwn. Mae'n gyrru'r cŵn yn eu blaenau gan sgrechian a gwichian yn erchyll.

Dail Eiddew

Mae deilen neu ddwy o'r planhigyn Eiddiorwg Dalen yn rhoi'r gallu i weld gwrachod. Er mwyn gallu gweld y dyfodol yn eu breuddwydion, rhaid i blant dorri deg deilen, taflu un a rhoi'r gweddill dan y gobennydd cyn cysgu.